AO VER OS OVOS ECLODINDO E OS FILHOTES SAINDO UM A UM DE DENTRO DOS OVOS, A MAMÃE PATA FICOU MUITO FELIZ, MAS AINDA FALTAVA UM OVO. QUANDO O ÚLTIMO FILHOTE SAIU, ELA FICOU SURPRESA, POIS ELE ERA DIFERENTE, MUITO GRANDE E DESENGONÇADO.

NO DIA SEGUINTE, A DONA PATA SAIU PARA PASSEAR COM SEUS FILHOTES. OS OUTROS ANIMAIS DA FAZENDA VIRAM O PATINHO DESENGONÇADO NO FINAL DA FILA E COMEÇARAM A CHAMÁ-LO DE PATINHO FEIO.

A DONA PATA CONTINUOU A FILA, E OS OUTROS FILHOTES ACHAVAM GRAÇA DA ZOMBARIA DOS ANIMAIS, DEIXANDO O PATINHO CHATEADO.

MUITO TRISTE COM A SITUAÇÃO, O PATINHO NÃO CONSEGUIA ENTENDER POR QUE ERA TÃO DIFERENTE DOS IRMÃOS NEM QUAL ERA O PROBLEMA DISSO. ASSIM, DEPOIS DE MUITO REFLETIR, ELE DECIDIU FUGIR.

O PATINHO SAIU SEM RUMO, CHORANDO, E VAGOU DURANTE MUITOS DIAS. ELE ESTAVA PREOCUPADO, POIS PENSAVA QUE NUNCA ENCONTRARIA UM LUGAR ONDE FOSSE ACEITO COMO ERA.

FINALMENTE, ELE CHEGOU A UM LAGO REPLETO DE OUTROS PATOS SELVAGENS QUE TAMBÉM O ACHARAM DESENGONÇADO. ELE PERCORREU POR MUITOS CANTOS, MAS OS ANIMAIS SEMPRE O ESTRANHAVAM.

"AINDA VOU ENCONTRAR UM LUGAR ONDE TODOS GOSTEM DE MIM", PENSAVA O PATINHO. DIAS SE PASSARAM ATÉ QUE ELE AVISTOU UM LINDO LAGO CHEIO DE CISNES E, CURIOSO, APROXIMOU-SE DELES.

O PATINHO ESTAVA ADMIRADO COM A BELEZA E A ELEGÂNCIA DAQUELAS AVES. DE REPENTE, AO OLHAR SUA PRÓPRIA IMAGEM REFLETIDA NA ÁGUA, TEVE UMA GRANDE SURPRESA: NÃO VIU MAIS UM PATINHO FEIO, MAS SIM UM LINDO CISNE!